BOLLINGEN SERIES LXXXVI

St.-John Perse

———

TWO ADDRESSES

ON POETRY

Translated by W. H. Auden

DANTE

Translated by Robert Fitzgerald

WITH THE FRENCH TEXTS

Bollingen Series LXXXVI

Pantheon Books

Library of Congress Catalogue Card No. 66-21566
Manufactured in the United States of America
Designed by Bert Clarke

C O N T E N T S

———

ON POETRY

———

SPEECH OF ACCEPTANCE UPON THE AWARD OF

THE NOBEL PRIZE FOR LITERATURE

DELIVERED IN STOCKHOLM, DECEMBER 10, 1960

On behalf of Poetry I have accepted the honour which has here been paid to Her, an honour which I shall now hasten to restore to Her.

Poetry rarely receives public homage. The gulf between poetic creation and the activities of a society subjected to material bondage grows ever wider. This estrangement, which the poet must accept though it is none of his doing, would be the fate of the scientist as well, were it not that science has practical applications.

But it is the disinterested mind of the scientist no less than that of the poet which we are gathered here to honour. Here, at least, it is forbidden to regard them as sworn enemies. Both put the same question to the same abyss: they differ only in their methods of investigation.

When we consider the drama of modern science as it discovers its rational limits in pure mathematics; when, in physics, we see two great sovereign doctrines laid down, one the General Theory of Relativity, the other the Quantum Theory of uncertainty and indeterminism which would set a limit to the exactitude even of physical measurements; when we have heard the greatest scientific discoverer of this century, the founder of modern cosmology, the architect of the greatest intellectual synthesis in terms of mathematical equations, invoking intuition to come to the rescue of reason, asserting that "imagination is the real soil of all fruitful scientific ideas," and even going so far as to claim for the scientist the benefit of an authentic "artistic vision"—then, have we not the right to consider the instrument of poetry as legitimate as that of logic?

Indeed, in its beginnings every creative act of the spirit is "poetic" in the proper sense of the word. In giving equal value to sensory and mental forms, the same activity serves, initially, the enterprises of scientist and poet alike. Which has travelled, which will travel, a longer way—discursive thinking or poetic ellipsis? From that primal abyss where two blind figures, blind from birth, are groping, one equipped with all the apparatus of science, the other assisted only by flashes of intuition—which comes to the surface sooner and the more highly charged with a brief phosphorescence? How we answer this question is of no importance. All that matters is the mystery in which they both share. The high spiritual adventure of poetry need yield nothing in drama to the new vistas of modern science. Astronomers may have faced with panic the idea of an expanding universe: is not a similar expansion taking place in the moral infinite of that other universe, the universe of man? As far as the frontiers of science extend and along their whole stretched arc, we can still hear the hounds of the poet in full cry. For, if poetry is not itself, as some have claimed, "absolute reality," it is poetry which shows the strongest passion for and the keenest apprehension of it, to that extreme limit of complicity where reality seems to shape itself within the poem.

By means of analogical and symbolic thinking, by means of the far-reaching light of the mediating image and its play of correspondences, by way of a thousand chains of reactions and unusual associations, by virtue also of a language through which is transmitted the supreme rhythm of Being, the poet clothes himself in a transcendental reality to which the scientist cannot aspire. Are there, in man, any more striking dialectics, and which could bind him more? When the philosophers abandon the metaphysical threshold, it falls to the poet to take upon himself the role of metaphysician: at such times it is poetry, not philosophy, that is revealed as the true "Daughter of Wonder," to use the phrase of that ancient philosopher who mistrusted her most.

Poetry is not only a way of knowledge; it is even more a way of life—of life in its totality. A poet already dwelt within the cave man: a poet will be dwelling still within the man of the atomic age; for poetry is a fundamental part of man. Out of the poetic need, which is one of the spirit, all the religions have been born, and by the poetic grace the divine spark is kept eternally alight within the human flint. When the mythologies founder, it is in poetry that the divine finds its refuge, perhaps its relay stage. As, in the antique procession, the Bearers of bread were succeeded by the Bearers of torches, so now, in the social order and the immediacies of life it is the poetic image which rekindles the high passion of mankind in its quest for light.

What a proud privilege is ours! To march forward, bearing the burden of eternity, to march forward, bearing the burden of humanity, and led by the vision of a new humanism: of authentic universality, of psychic integrity! . . . Faithful to its task, which is nothing less than to fathom the human mystery, modern poetry is pursuing an enterprise which is concerned with man in the plenitude of his being. In such a poetry there is no place for anything Pythian, nor for anything purely esthetic. It is the art neither of the embalmer nor of the decorator. It does not raise cultured pearls, does not traffic in fakes or emblems, nor would it be content to be a mere feast of music. It is intimately related to beauty, supreme alliance, but beauty is neither its goal nor its sole food. Refusing to divorce art from life or love from knowledge, it is action, it is passion, it is power, a perpetual renewal that extends the boundaries. Love is its vital flame, independence is its law, and its domain is everywhere, an anticipation. It never wishes to be absence, nor refusal.

However, it begs no favours of the times. Dedicated to its goal and free from all ideology, it knows itself to be the equal of life, which needs no self-justification. In one embrace, as in one great living strophe, it gathers to its present all the past and the future, the human and the superhuman, planetary space and total space. Its alleged obscurity is due, not to its own nature, which is to enlighten, but to the darkness which it explores, and must explore: the dark of the soul herself and the dark of the mystery which envelops human existence. It allows itself no obscurity in its terms, and these are no less rigorous than those of science.

So, by his absolute adhesion to what exists, the poet keeps us in touch with the permanence and unity of Being. And his message is one of optimism. To him, one law of harmony governs the whole world of things. Nothing can occur there which by its nature is incommensurable with man. The worst catastrophes of history are but seasonal rhythms in a vaster cycle of repetitions and renewals. The Furies who cross the stage, torches high, do but throw light upon one moment in the immense plot as it unfolds itself through time. Growing civilizations do not perish from the pangs of one autumn; they merely shed their leaves. Inertia is the only mortal danger. Poet is he who breaks for us the bonds of habit.

In this way, in spite of himself, the poet also is tied to historical events. Nothing in the drama of his times is alien to him. May he inspire in all of us a pride in being alive in this, so vital, age. For the hour is great and new for us to seize. And to whom indeed should we surrender the honour of our time? . . .

"Fear not," says History, taking off her mask of violence and raising her hand in the conciliatory gesture of the Asiatic Divinity at the climax of Her dance of destruction. "Fear not, neither doubt—for doubt is impotent and fear servile. Listen, rather, to the rhythm that I, the renewer of all things, impose upon the great theme which mankind is forever engaged in composing. It is not true that life can abjure life: nothing that lives is born of nothingness, nor to nothingness is wed. But nothing, either, can preserve its form and measure against the ceaseless flux of Being. The tragedy is not in the metamorphosis as such. The real drama of this century lies in the growing estrangement between the temporal and the untemporal man. Is man, enlightened on one side, to sink into darkness on the other? A forced growth in a community without communion, what would that be but a false maturity? . . ."

It is for the poet, in his wholeness, to bear witness to the twofold vocation of man: to hold up before the spirit a mirror more sensitive to his spiritual possibilities; to evoke, in our own century, a vision of the human condition more worthy of man as he was created; to connect ever more closely the collective soul to the currents of spiritual energy in the world. In these days of nuclear energy, can the earthenware lamp of the poet still suffice?—Yes, if its clay remind us of our own.

And it is enough for the poet to be the guilty conscience of his time.

DANTE

—————

ADDRESS FOR THE INAUGURATION OF

THE INTERNATIONAL CONGRESS IN FLORENCE

ON THE OCCASION OF

THE SEVENTH CENTENARY OF DANTE

APRIL 20, 1965

When we stand in honour of Dante today we pay him more than our personal homage; we act on behalf of that immense family for whom the very name, Dante, sounds with a resonance unsurpassed in the profound cavern of poetry.

Standing with us are all those for whom two facts are inseparable: the fact of Dante, and the great fact of poetry in the history of Western man.

Rising about us we hear the ovation of this jubilee, and the praise in all languages, on all shores of the West! Fires are lit on the crests, voices are lifted in the cities, and man in our time is overtaken as by a new joy.

For the seventh centenary, again the appeal of the name! Dante Alighieri! We salute you, Poet, man of the Latin earth, to whom it was given to form a language and by the creative power of language to forge the spirit of a people.

At every solemn anniversary when the appeal of this name is heard again, its burden of honour is recon-

17

firmed. And we poets, men of the living word, invoke a great poet's given word as we call on him to answer. Let him bring again upon our century the scandal of the poet, and kindle by the grace of language that supreme debate of man in the highest realm of being, the word itself.

In the history of a great name there is something that grows beyond the merely human: "*Nomen, numen . . .*" a sacred presence—a shiver of soul in the bronze tones, a sound as of eternity . . . "Divine" was the name given one day to that *Commedia* which Dante himself, man of pride though he was, would never have so entitled. The moment when this poetry was set down—that moment now legendary—reaches us vibrating still. We measure in centuries its historic import, and even more the mystery of its continued life.

That a work of poetry so supremely of the will and so lofty in conception, perilously overloaded with intellectuality, with rational dogmatism and pure scholasticism, a didactic work meant above all to edify, complying in allegorical terms with abstract demands completely alien to all our notions of a modern poetic— that this work should carry alive into our own time such a mass of conventions and commitments—there is the true miracle! It is the privilege of genius—of unfettered genius in its highest access of omnipotence, under its own law, at its royal will, setting a course of plenitude . . . That law was always for the exceptional! The virgin lightning of genius can enter into the most unsuitable liaisons and never degrade itself. It is the destiny of great creative forces to exert their power through any and all conventions of an epoch.

On the four levels of development defined by Dante in his *Convivio*: the literal, the allegorical, the moral, and the anagogical, the imperious *Commedia* takes its methodical way upward, like the hero himself, pilgrim that he is of love and of the absolute. It rises from circle to circle until it reaches final abstraction, an effusion of glory in the bosom of the divine: an effusion that is still all intellect, for the spiritual journey of the poet is distinct, by its very nature, from the ways of mysticism properly so called.

But because the spiritual adventure of the hero was the poet's adventure first, the work lived by the great Tuscan remains faithful to life itself; treating of the absolute without deserting the empire of the real, keeping its roots in the actual, in the human, in the mere quotidian—being a *story*—it avoids the worst sins of abstraction. As the narrative of a journey to imaginary worlds, it remains a narrative full of wonder for us. It is carnal, it is visual, it is form and colour; and however edifying it may wish to be beneath its allegories, its abounding imagery only illustrates with realism the multiple incidents of an itinerary that is pursued far from any asceticism . . . The art is one of delectation, not of teaching alone: the terrestrial vocation is affirmed by it as much as the heavenly obsession

—as much or more. Sound, matter, and light are united in it to celebrate a single energy, willed into harmony. And in this physical union with the universe, what a joy, a sudden joy of the artist, to speak to us between two astronomical digressions of—what but the mouths of the Ganges! Here is a poet's work, not a humanist's. The threshold of metaphysics is crossed here only by poetic knowledge, the philosophical liberation comes less of speculation than of feeling.

And so the Christian poet, trained in Thomism, who has raged in his Inferno against all the sins of the spirit, at the opening of the Paradiso is not afraid to invoke the pagan assistance of the delphic divinity, ravisher of the soul beyond the province of intellect: may Apollo, god of the super-rational, open up for him the ways of feeling, the secret ways of the ineffable and the inconceivable, and the poet Dante will follow him perhaps on the vast sea of divinatory intuition—at the risk, grave for an apostle, of not being followed by everyone:

O you whose craft is small, return to shore . . .

That voice had not been heard since Latin antiquity. And yet see how far this song is from being mere reminiscence; it is a real creation, like the song of a new hive swarming in the West, a whole people of Sibyls . . .

Beyond everything else, the urgency of language was decisive: an active power, forever animating, initiating and creating . . . From that climb out of the abyss commanded by desire, by a divine insistence, the work derives its first and lasting vocation and its destiny. At once the creature and the creator of a language, rebellious against the grasp of intellect, it keeps its living attachment to the very movement of being, the fortune of being.

The same enduring attachment brings the spirit of Dante to that search for unity that was to be proposed even in the political thought of his *De Monarchia*. What a prodigious destiny for a poet, creator of his language, to be at the same time the unifier of a national tongue long before the political unity that it promises. Through him, speech restored to a living community becomes the life lived by an entire people in search of unity.—At the heart of a scattered Italian grandeur, which he gathers up and incarnates, he remains forever a ferment of soul and spirit . . . What poet, by the sole fact of poetic eminence, has ever become such an element of collective force in the history of a proud people?

At a time when poetry was still all formal rules and schoolroom servitude, the art of Dante was a felicitous reading in the living heart of language. In the widening embrace of poetry it is the whole being of man that now comes to the poetic rite and breaks into the closed world of art. A language of love now comes to birth, a language that will never henceforth be distant from the true poetic solicitation. "I am that man," Dante tells us, "subject to love's language, and from that dictation I write nothing that does not make itself heard in the heart's core." The work is ordered by grace of love and re-creates itself in love without losing its impetus. Here passion commands and prophesies . . . And what is anything if it is not passion, and does not taste of eternity?

Rent from time to time by lyric cries—the grace of a song or the virulence of an imprecation—the whole frame of the great doctrinal poem suddenly gives way . . . Poetry—poetry, which is itself a knowledge of being! For every poetic is in truth an ontology. And it was on this periodic impulse of escape and return to being, for a reintegration of lost unity, that the Greek philosophy of the Stagirite had already attempted a whole metaphysics of movement.

Hence the necessity in art of a work real and complete, without fear of that notion of "work," and of work that is "worked out," involving in its totality just that much more assistance from inspiration, that much more organic force, elevation of tone and vision, beyond the written thing, for the final conduct of a theme to its free conclusion.

That is the filial obligation of the poet to his language as creator.

And Dante, the fanatic of language, did he not place in his Inferno, not far from the blasphemers, a writer guilty of impiety toward his maternal tongue?

The man of passion who was Dante the poet merges, in his civic spirit, with the acrid and vengeful censor to whom his warrior ancestor, met in the sphere of Mars, would recommend "sharp and chastising words" as a "vital sustenance." He never belonged among the tepid or the pusillanimous, this Catholic who is not afraid to cover with the same opprobrium all those, he says, "who could live with neither infamy nor renown, as detestable in the sight of God as in that of his enemies."

"They will end in blood," he said of his violent ones. They ended in spirit . . . For Dante, what it came to was the pure ascent of the Third Canticle toward a place of light and beatitude, "there where high creatures," he tells us, "see the traces of eternal force." At the terminus of that ascent, the concept of passion merges, in love, with that of glory and illumination—a supreme spasm of the spirit, never ceasing to be spirit. "And suddenly," he tells us again, "it seemed to me that daylight was added to daylight, as if He who can do so had endowed the heavens with a new sun . . ."

At the margin of the great free spaces where the divine unfolds, the poet has conducted his quest of unity. He has attained that blinding point of rupture of which there is no memory. And in that movement toward the luminous essence, all the essentials of a literary classicism may already be found. The truth of the drama is in that pure space that reigns between the felicitous stanza and the abyss it skirts: that total unappeasement, or that supreme ambiguity, that makes Dante, monster of love that he is, the greatest apostate of happiness in favor of joy.

*In the depth of that eternity I saw how love united all
things, as though binding in one Book all the scattered
leaves of the same universal work . . .*

A Poet, a man of absence and presence, a man of ebb
and flow—a poet, born for all and taking from all without ever alienating himself, he is made of the one and
the many. Great tatters of humanity show at work in
him this laceration of one man, prey to an epic of all
men—the awakening of everyone in the poem and of
the poem in everyone. From the border lands of exile
he rules over a solitude more populous than any earth
of empire. He sets up his punishments like equations,
but he takes care not to debase his distinguished victims;
and it is not without a secret collusion that he spares the
pride of his great reprobates. He has no real disdain for
any but the feeble and the cowardly whom he allows
to wander on the approaches to his Inferno, or the
apathetic sheep on the first slopes of his Purgatory.
Man is man for him only by virtue of force of soul and
integrity. And from that vast commentary on the human chronicle that is the epic sum of the *Commedia*,
the lesson is all one of virile pride and moral rectitude:
a lesson of honour for everyone. Constraining though
it be, the destiny of men could not depend on the ab-
surd, and the human being holds a mysterious power
over the rising stars of his night . . . Under the half-
closed eyelids of man, which Dante calls "the lips of the
eye," enough light filters through to orient in us the
tragic sense of life.

A complete man by vocation, ardent to live as a man in thought and in action, Dante seems by instinct to make legitimate for his time a will to power beyond the limits of Christian orthodoxy . . . A poet, always, is this born rebel who lays claim in man to more than man . . . And that poetry itself is action—this is what the solitude of the proscribed exile tends to proclaim. The one-time Prior of the Commune of Florence opens for Dante the poet that combat in the lists of exile which makes him a great poet at the same time as it makes him "Italian." He will face proudly the worst public denunciations, even to that sentence, in contumacy, to be burned alive —a singular mockery for him who as a poet thought to honour flame alone . . .

In the ancient rites of fire, the ritual offering made to the flames was as much a sacrifice to the universal order as to the personal order, the sacrificial act being intended to re-create primordial unity and to bind again into the total being the man torn to pieces by history . . . So the work of a great poet is a universal offering—for without the poet there is no plenary aspiration, no restitution of the breath of life. Breathing the breath of the world remains his proper and mediating function. And such is indeed the secret primacy of the poet. In the first sense of the word he is the "ex-istant" par excellence, standing closest of all to the principle of being. Autonomous as he may wish to be, in expressing himself he cannot help bearing witness to the common soul. The man of Florence and Ravenna, of Tuscany and

Italy, of Europe and the West, today belongs to all! . . .

And Dante, facing his work and in his very work, anticipating his glory, did he not with his own hands crown himself with laurel?

For him let there be "the response of the crests" in the glowing Latin sky!

Honour to Dante Alighieri, master of arts and action! Honour to the man of a great cause and of great trans-action; and full gratitude to the man who in his time carried farthest the liberating action of language—the poet, by whom the space of the living is illuminated and enlarged.

The centuries open up unwearied before the furrow-ing of history, the chains ring at the steps of man, and neither of servitude nor of death does the poet speak. Great political passions are lost in the running river of time, false themes of grandeur collapse along the shores, but on the naked stone of the heights are the glories of poetry, struck by an absolute of light. Dante: the crest is high and bright and defies erosion! . . . How many potentates, how many men of power and masters of a day, tyrants, autocrats and despots, men of every mask and rank, will have dropped out of the cinders of his-tory, when this poet, the greatest of all exiles, will go on exerting his power among men—a power not usurped . . .

Poet, sovereign by birth, having no need to forge a legitimacy . . .

26

Over the great sundial where history holds its iron blade, the hour of Dante throws its shadow still—at a wide angle, open to the breadth of centuries. In the plenary era of language a man's living word endures. And the man of language again comes forward among us. He covers with his look the time of the dead and the living. To the empire of the past he adds the empire of the future where his prophetic shadow runs ahead . . . For in the vision of the true poet there is always, in spite of himself, something of a fatality that goes afar to join another infinitude, that of Being, his true home. Seven centuries before us, seven ages before ours, in the adventure of poetry, have heard far off the rush of those subterranean waters that refresh the hope of man. And again the sound is heard of the great tumult on the move ahead of us.

We invoke you, Poet, at the opening of a new age. No part of the future is closed to the poet. To create meant always to move ahead and to command from afar. And the poem once uttered hastens into history . . . Eternal invasion by the poetic word!

Like the nomad conquerors who were masters of unbounded space, the great itinerant poets, whose shadow lengthens in honour, are not soon caught up in the ossuary glare. Detaching themselves from the past, they see growing before them incessantly a track that proceeds out of themselves. Their works are migratory, and take their way beside us, high tablets of memory that move along with history.

And this one was of the West, where dream is action, and action innovation. Dante erect in the wind of history bore without weakness his burden of humanity; and first to rise in grandeur, an instigator and a mediator, he was one of those great precursors for whom living is creating, and creating is entering an eternity of history.

Poet, invisible face of man . . . The poetic torrent in which history is bathed runs on unheard by the crowds along the stream. But on the holy face of the earth certain upheavals of spirit leave for a long time traces of their powerful crests: between two great slopes of the Western age the high watershed shines for us still.

O Dante, principle of authority in all our ways and words! Trenchant eagle of living speech, ardent presence of the poet! . . . On the screen of our nights we have seen him pass, his head encircled by black laurel more steely than a *condottiere*'s lifted visor—burning partisan of an absolutism, carrying war singlehanded to our frontiers—the Fearless, the Taciturn, bearing in his soul a brand like the scar of lightning on the face of one stigmatized. At a man's height he smelt out the abyss of the real and the supernatural. At a man's height he knew certain times that are not the time of man. And those who crossed his path one evening where the road turned aside called him the Transgressor . . .

Be with us, great being on the march, Poet! man of signs and numbers, man forever of the greatest possible order. Your breath sustains us, and your power in us, brought to the elevation of myth. In the evenings of vast change, when the used-up figures of the drama descend the stages of history behind us, let your great nocturnal shadow be heard passing. And the sharp wing of genius will graze us again with its plumage of iron . . .

Be with us, Passerby! The times are strong, and the hour is great! The first equinoctial swells already rise on the horizon for the birth of a new millennium . . . A large fragment of nascent history is detached for us from the swaddling clothes of the future. And everywhere there is a rising of forces at work like a gathering of universal waters. What new *Commedia*, forever in course of creation, opens all its text to the evolution under way? There is none too much of your ternary rhythm, Poet, for the new metric that we are already living . . .

Be with us, great vehement soul! Hate and violence on earth have not yet laid down their arms. Guelfs and Ghibellines are extending their quarrel to the whole world of men. Material forces and new schisms menace that human commonwealth for which you dreamed of unity . . . Keep alive and large in us the vision of man on the march toward his highest humanity, keep high in us the insurrection of the soul and the full exigence of the poet at the unmaimed heart of man . . .

Honour to you, grandeur! Honour to you, power!

Honour to Dante of Italy! First of Europe and the

West to establish man in poetry, and to establish in man the living speech of the poet like a pledge of humanity. We acclaim you, Poet, in your prerogative and your necessity. Hear the long, the distant acclamation that rises from all the ranks of the universal amphitheatre—a tribute lifted above our century by the poets of every race, of every language and every discipline, alerted by the single name of Dante! . . . Toward you, poet of the great name, in the year Two Thousand, one will still hear that great murmur rising from the men of language for whom you had already dissipated the last throes and shades of the first millennium. And three centuries hence men will again assemble to celebrate your own millennium. Those of the future will understand what the voice of a great poet may preserve of the Latin heritage in the melee of the new streams . . .

Happy Florence and land of Tuscany, happy that quarter of the Latin world where, under the sign of the Twins, for his double destiny as man of dream and action, man of love and violence, man of hell and heaven. Dante degli Alighieri, man of poetry, was born one day in May.

. . . O Maia, O Dione, ancient divinities, honoured by the poet even in his Christian heaven, you bore witness long ago to the eternity of the word.

And we who are assembled here, what are we doing but commemorating the survival of the poet in man?

. . . Poetry, hour of the great, road of exile and alliance, leaven of strong peoples and rising of stars upon the humble; poetry, true grandeur, secret power among men, and, of all the powers, the only one perhaps that never corrupts the heart of man face to face with other men . . .

In honour of Dante, poet, power of soul and spirit in the history of a great people and in the history of humanity, let everyone rise with us!

French Texts

POÉSIE

J'AI accepté pour la Poésie l'hommage qui lui est ici rendu, et que j'ai hâte de lui restituer.

La poésie n'est pas souvent à l'honneur. C'est que la dissociation semble s'accroître entre l'œuvre poétique et l'activité d'une société soumise aux servitudes matérielles. Ecart accepté, non recherché par le poète, et qui serait le même pour le savant sans les applications pratiques de la science.

Mais du savant comme du poète, c'est la pensée désintéressée que l'on entend honorer ici. Qu'ici du moins ils ne soient plus considérés comme des frères ennemis. Car l'interrogation est la même qu'ils tiennent sur un même abîme, et seuls leurs modes d'investigation diffèrent.

Quand on mesure le drame de la science moderne découvrant jusque dans l'absolu mathématique ses limites rationnelles; quand on voit, en physique, deux grandes doctrines maîtresses poser, l'une, un principe général de relativité, l'autre un principe "quantique" d'incertitude et d'indéterminisme qui limiterait à jamais l'exactitude même des mesures physiques; quand on a entendu le plus grand novateur scientifique de ce siècle, initiateur de la cosmologie moderne et répondant de la plus vaste synthèse intellectuelle en termes d'équations, invoquer l'intuition au secours de la raison et proclamer que "l'imagination est le vrai terrain de germination scientifique," allant même jusqu'à réclamer pour le savant le bénéfice d'une véritable "vision artistique"—n'est-on pas en droit de tenir l'instrument poétique pour aussi légitime que l'instrument logique?

Au vrai, toute création de l'esprit est d'abord "poétique" au sens propre du mot; et dans l'équivalence des formes sensibles et spirituelles, une même fonction s'exerce, initialement, pour l'entreprise du savant et pour celle du poète. De la pensée discursive ou de l'ellipse poétique, qui va plus loin, et de plus loin? Et de cette nuit originelle où tâtonnent deux aveugles-nés, l'un équipé de l'outillage scientifique, l'autre assisté des seules fulgurations de l'intuition, qui donc plus tôt remonte, et plus chargé de brève phosphorescence? La réponse n'importe. Le mystère est commun. Et la grande aventure de l'esprit poétique ne le cède en rien aux ouvertures dramatiques de la science moderne. Des astronomes ont pu s'affoler d'une théorie de l'univers en expansion; il n'est pas moins d'expansion dans l'infini moral de l'homme—cet univers. Aussi loin que la science recule ses frontières, et sur tout l'arc étendu de ces frontières, on entendra courir encore la meute chasseresse du poète. Car si la poésie n'est pas, comme on l'a dit, "le réel absolu," elle en est bien la plus proche convoitise et la plus proche appréhension, à cette limite extrême de complicité où le réel dans le poème semble s'informer lui-même.

Par la pensée analogique et symbolique, par l'illumination lointaine de l'image médiatrice, et par le jeu de ses correspondances, sur mille chaînes de réactions et d'associations étrangères, par la grâce enfin d'un langage où se transmet le mouvement même de l'Etre, le poète s'investit d'une surréalité qui ne peut être celle de la science. Est-il chez l'homme plus saisissante dialectique et qui de l'homme engage plus? Lorsque les philosophes eux-mêmes désertent le seuil métaphysique, il advient au poète de relever là le métaphysicien; et c'est la poésie alors, non la philosophie, qui se révèle la vraie "fille de l'étonnement," selon l'expression du philosophe antique à qui elle fut le plus suspecte.

Mais plus que mode de connaissance, la poésie est d'abord mode de vie—et de vie intégrale. Le poète existait dans l'homme des cavernes, il existera dans l'homme des âges atomiques: parce qu'il est part irréductible de l'homme. De l'exigence poétique, exigence spirituelle, sont nées les religions elles-mêmes, et par la grâce poétique, l'étincelle du divin vit à jamais dans le silex humain. Quand les mythologies s'effondrent, c'est dans la poésie que trouve refuge le divin; peut-être même son relais. Et jusque dans l'ordre social et l'immédiat humain, quand les Porteuses de pain de l'antique cortège cèdent le pas aux Porteuses de flambeaux, c'est à *l'imagination poétique que s'allume encore la haute passion des peuples en quête de clarté.*

Fierté de l'homme en marche sous sa charge d'éternité! Fierté de l'homme en marche sous son fardeau d'humanité, quand pour lui s'ouvre un humanisme nouveau, d'universalité réelle et d'intégralité psychique.

. . . Fidèle à son office, qui est l'approfondissement même du mystère de l'homme, la poésie moderne s'engage dans une entreprise dont la poursuite intéresse la pleine intégration de l'homme. Il n'est rien de pythique dans une telle poésie. Rien non plus de purement esthétique. Elle n'est point art d'embaumeur ni de décorateur. Elle n'élève point des perles de culture, ne trafique point de simulacres ni d'emblèmes, et d'aucune fête musicale elle ne saurait se contenter. Elle s'allie, dans ses voies, la beauté, suprême alliance, mais n'en fait point sa fin ni sa seule pâture. Se refusant à dissocier l'art de la vie, ni de l'amour la connaissance, elle est action, elle est passion, elle est puissance, et novation toujours qui déplace les bornes. L'amour est son foyer, l'insoumission sa loi, et son lieu est partout, dans l'anticipation. Elle ne se veut jamais absence ni refus.

Elle n'attend rien pourtant des avantages du siècle. Attachée à son propre destin, et libre de toute idéologie, elle se connaît égale à la vie même, qui n'a d'elle-même à justifier. Et c'est d'une même étreinte, comme une seule grande strophe vivante, qu'elle embrasse au présent tout le passé et l'avenir, l'humain avec le surhumain, et tout l'espace planétaire avec l'espace universel. L'obscurité qu'on lui reproche ne tient pas à sa nature propre, qui est d'éclairer, mais à la nuit même qu'elle explore, et qu'elle se doit d'explorer : celle de l'âme elle-même et du mystère où baigne l'être humain. Son expression toujours s'est interdit l'obscur, et cette expression n'est pas moins exigeante que celle de la science.

Ainsi, par son adhésion totale à ce qui est, le poète tient pour nous liaison avec la permanence et l'unité de l'Être. Et sa leçon est d'optimisme. Une même loi d'harmonie régit pour lui le monde entier des choses. Rien n'y peut advenir qui par nature excède la mesure de l'homme. Les pires bouleversements de l'histoire ne sont que rythmes saisonniers dans un plus vaste cycle d'enchaînements et de renouvellements. Et les Furies qui traversent la scène, torche haute, n'éclairent qu'un instant du très long thème en cours. Les civilisations mûrissantes ne meurent point des affres d'un automne, elles ne font que muer. L'inertie seule est menaçante. Poète est celui-là qui rompt pour nous l'accoutumance.

Et c'est ainsi que le poète se trouve aussi lié, malgré lui, à l'événement historique. Et rien du drame de son temps ne lui est étranger. Qu'à tous il dise clairement le goût de vivre ce temps fort! Car l'heure est grande et neuve, où se saisir à neuf. Et à qui donc céderions-nous l'honneur de notre temps? . . .

"Ne crains pas," dit l'Histoire, levant un jour son masque de violence—et de sa main levée elle fait ce geste conciliant de la Divinité asiatique au plus fort de sa danse destructrice. "Ne crains pas, ni ne doute—car le doute est *stérile et la crainte est servile. Ecoute plutôt ce battement rythmique que ma main haute imprime, novatrice, à la grande phrase humaine en voie toujours de création. Il n'est pas vrai que la vie puisse se renier elle-même. Il n'est rien de vivant qui de néant procède, ni de néant s'éprenne. Mais rien non plus ne garde forme ni mesure, sous l'incessant afflux de l'Être. La tragédie n'est pas dans la métamorphose elle-même. Le vrai drame du siècle est dans l'écart qu'on laisse croître entre l'homme temporel et l'homme intemporel. L'homme éclairé sur un versant va-t-il s'obscurcir sur l'autre? Et sa maturation forcée, dans une communauté sans communion, ne sera-t-elle que fausse maturité? . . ."*

Au poète indivis d'attester parmi nous la double vocation de l'homme. Et c'est hausser devant l'esprit un miroir plus sensible à ses chances spirituelles. C'est évoquer dans le siècle même une condition humaine plus digne de l'homme originel. C'est associer enfin plus largement l'âme collective à la circulation de l'énergie spirituelle dans le monde. . . . Face à l'énergie nucléaire, la lampe d'argile du poète suffira-t-elle à son propos?—Oui, si d'argile se souvient l'homme.

Et c'est assez, pour le poète, d'être la mauvaise conscience de son temps.

DANTE

———

Se lever aujourd'hui en l'honneur du Dante, c'est s'exprimer anonymement au nom d'une immense famille: celle pour qui le nom, le mot Dante, puissant vocable, tient la plus haute résonance au fond de l'antre poétique.

Ceux-là se lèvent avec nous pour qui le fait Dante se confond de lui-même avec le grand fait poétique dans l'histoire de l'homme d'Occident.

Avec nous l'ovation jubilaire, et la louange, en toutes langues, sur toutes rives d'Occident!... Des feux s'allument sur les cimes, des voix s'élèvent dans les villes, et c'est pour l'homme de notre temps comme un saisissement nouveau.

Pour la septième fois l'appel séculaire du nom! Dante Alighieri!... Nous te saluons, Poète, homme de terre latine, celui à qui il fut donné d'éduquer une langue, et par la langue, créatrice, de forger l'âme d'un peuple.

A chaque échéance solennelle où retentit l'appel du nom, sa charge d'honneur est vérifiée. Et nous, poètes, hommes de parole, nous invoquons d'un grand poète la

45

parole donnée, et nous lui demandons raison. Qu'il porte encore dans le siècle le scandale du poète, et par la grâce du langage, l'altercation suprême de l'homme au plus haut lieu de l'être, sa parole!

Il y a, dans l'histoire d'un grand nom, quelque chose qui s'accroît au delà de l'humain: "Nomen, numen . . ." *imminence sacrée—frémissement d'âme dans le bronze et comme un son d'éternité* . . . "Divine" *fut un jour l'appellation donnée à cette* Commedia *que Dante lui-même, l'orgueilleux, n'eût point qualifiée telle. L'instant, devenu légendaire, où fut frappée cette parole de poète ne cesse d'étendre jusqu'à nous le temps de sa vibration. Nous mesurons, à pas de siècles, sa portée historique; et plus encore le mystère de sa survivance poétique.*

Qu'une œuvre, en poésie, d'un aussi haut vouloir et d'aussi haute conception, surchargée à périr d'intellectualité, de dogmatisme rationnel et de pure scolastique, qu'une œuvre doctorale et qui se veut avant tout œuvre édifiante, répondant en termes allégoriques aux exigences d'école les plus contraires à toutes nos conceptions de poétique moderne, puisse sans accablement porter, comme œuvre vive jusqu'à nous, un tel fardeau de convenances et de charges contractuelles—c'est là le vrai prodige! Privilège du génie à son plus libre accès d'omnipotence, courant de haut, sous sa loi propre, le bon plaisir de sa course plénière . . . Et cette loi toujours fut d'exception! La foudre vierge du génie court aux pires mésalliances sans déroger. C'est le destin des grandes forces créatrices d'exercer leur pouvoir à travers toutes conventions d'époque.

Sur les quatre plans d'évolution définis par Dante dans son Convivio: *le littéral, l'allégorique, le moral et l'anagogique, l'œuvre impérieuse de la* Commedia *poursuit héroïquement son ascension méthodique, comme celle du héros lui-même, pèlerin d'amour et d'absolu. Elle s'élève, de cercle en cercle, jusqu'à cette abstraction finale d'une effusion de gloire au sein de la divinité: effusion encore toute d'intellect, car le cheminement spirituel du poète est, par sa nature même, étranger aux voies du mysticisme proprement dit.*

Mais parce que l'aventure spirituelle du héros fut d'abord celle du poète, l'œuvre vécue du grand Toscan demeure fidèle à la vie même; et traitant, vive, d'absolu sans déserter l'empire du réel, gardant racine dans le concret, et dans l'humain, et jusque dans le quotidien, elle échappe, récit, aux pires méfaits de l'abstraction. Relation d'un voyage aux mondes imaginaires, elle en demeure pour nous la narration émerveillée. Elle est charnelle, elle est visuelle, elle est forme et couleur; et tout édifiante qu'elle se veuille sous ses allégories, son abondante imagerie ne fait qu'illustrer, avec réalisme, les incidences multiples d'un itinéraire fort éloigné de toute ascèse . . . Art de délectation et non plus seulement d'enseignement: la vocation terrestre s'y affirme, autant et plus que la hantise céleste. Son, matière et lumière s'unissent là pour fêter une même énergie, qui se veut harmonie. Et dans cette liaison physique avec l'universel,

quelle joie, soudain, d'artiste, entre deux diversions astronomiques, de nous parler . . . des bouches du Gange!
— Oeuvre de poète et non plus d'humaniste. Le seuil métaphysique n'est là franchi que par la connaissance poétique, l'évasion philosophique procède moins d'une spéculation que d'un sentiment.

Et aussi bien, le poète chrétien, de formation thomiste, qui a si fort sévi dans son Enfer contre tous péchés de l'esprit, ne craint pas d'invoquer, à l'ouverture de son Paradis, l'assistance païenne de la divinité delphique, ravisseuse d'âme et d'esprit au-delà des provinces d'intellect: veuille Apollon, l'irrationnel, lui entrouvrir les voies sensibles, les voies secrètes de l'ineffable et de l'inconcevable, et Dante, poète, le suivrait peut-être sur la plus vaste mer de l'intuition divinatrice—au risque grave, pour l'apôtre, de n'être pas suivi de tous:

O vous dont la barque est petite, retournez à vos rivages . . .

On n'avait pas entendu cette voix depuis l'antiquité latine. Et voici que ce chant n'est plus réminiscence, mais création réelle, et comme un chant de ruche nouvelle essaimant en Ouest, avec son peuple de Sibylles . . .

Décisive entre toutes fut là l'urgence du langage: puissance active, animatrice, initiatrice et créatrice . . . De cette montée d'abîme où commande le désir, insistance divine, l'œuvre tire, durable, sa vocation première et sa fatalité. A la fois créature et créatrice d'une langue, elle garde, rebelle, contre toute prise d'intellect, sa liaison vivante avec le mouvement même de l'être, sa fortune.

La même liaison durable, en toutes choses, porte l'esprit de Dante à cette recherche d'unité, qui devait s'affirmer jusque dans la pensée politique de son De Monarchia. *Prodigieux destin, pour un poète, créateur de sa langue, d'être en même temps l'unificateur d'une langue nationale, longtemps avant l'unité politique qu'elle annonce. Par lui, le langage restitué à une communauté vivante devient l'histoire vécue de tout un peuple en quête de sa vérité. Au cœur d'une grandeur italienne éparse, qu'il rassemble et qu'il incarne, il demeure pour toujours ferment d'âme et d'esprit . . . Quel poète jamais, par le seul fait d'une éminence poétique, a, dans l'histoire d'un peuple fier, constitué un tel élément de force collective?*

En un temps où la poésie est encore règle d'observance et servitude d'école, l'art de Dante fut une lecture heureuse aux œuvres vives du langage. Dans un élargissement de l'accueil poétique, c'est l'être tout entier qui vient au sacre du poème et fait son irruption au monde clos de l'art. Une langue d'amour a pris naissance là, qui ne sera plus jamais distincte, en poésie, de l'instance proprement poétique. "Cet homme suis-je," nous dit Dante, "soumis au langage d'amour, et n'écris rien, sous cette dictée, qui ne se fasse entendre au fond du cœur." L'œuvre s'ordonne dans cette grâce, et s'y recrée, sans perdre haleine. La passion y commande, l'amour y prophétise . . . Et qu'est-ce tout cela qui n'est point passion, et qui n'a goût d'éternité? . . .

Au déchirement de quelques effusions lyriques—
félicité d'un chant de grâce ou virulence d'une impréca-
tion—cède soudain toute l'armature du grand poème
doctrinal . . . Poésie, science de l'être! Car toute poétique
est une ontologie. Et sur ce double mouvement, d'un arra-
chement premier, puis d'un retour, à l'être, pour la ré-
intégration de l'unité perdue, la philosophie grecque du
Stagirite avait déjà tenté toute une métaphysique de
mouvement.

   D'où l'exigence, en art, d'une œuvre réelle et pleine,
qui ne craigne pas la notion d'"œuvre," et d'œuvre
"œuvrée," dans sa totalité, impliquant d'autant plus
d'assistance du souffle, et de force organique, d'élévation
de ton et de vision, au-delà de l'écrit, pour la conduite
finale du thème à sa libre échéance.

   Telle est l'obligation filiale du poète envers la langue
—créatrice . . .

   Et Dante, fanatique du langage, n'a-t-il pas placé
dans son Enfer, non loin des blasphémateurs, un écrivain
coupable d'impiété envers sa langue maternelle?

L'homme de passion que fut Dante, poète, rejoint, dans
son civisme, l'amer censeur d'âme vindicative à qui
l'ancêtre guerrier, rencontré au Ciel de Mars, recom-
mandait "l'âpre langage de remontrance" comme "une
nourriture de vie." Il ne fut pas des tièdes ni des pusil-
lanimes, ce catholique qui ne craint pas d'envelopper
d'un même mépris tous ceux, dit-il, "qui ont pu vivre
sans infamie ni renommée, détestables aussi bien au re-
gard de Dieu que de ses ennemis."

"Ils en viendront au sang," disait-il de son peuple de violents. Ils en vinrent à l'âme . . . Et ce fut pour Dante l'ascension très pure de ce Troisième "Cantique" vers un lieu de lumière et de béatitude, "là où les hautes créatures," nous dit-il, "voient les traces de la force éternelle." Au terme de cette ascension, la notion passionnelle se confond, dans l'amour, avec celle de gloire et d'illumination—spasme suprême de l'esprit, qui ne cesse d'être esprit. "Et soudain," nous dit-il encore, "il me sembla que le jour au jour s'ajoutait, comme si Celui qui peut avait doté le ciel d'un nouvel astre . . ."

Au bord des grands espaces libres où se propage le divin, le poète a conduit sa quête d'unité. Il a atteint ce point d'éclat et de rupture dont il n'est point gardé mémoire. Et dans cette course à l'essence lumineuse s'annonce déjà tout l'essentiel d'un classicisme littéraire . . . La vérité du drame est dans ce pur espace qui règne entre la stance heureuse et l'abîme qu'elle côtoie: cet inapaisement total, ou cette ambiguïté suprême, qui fait de Dante, monstre d'amour, le plus grand apostat du bonheur au profit de la joie:

Au fond de cette éternité, je vis que l'amour unissait toutes choses, comme pour lier, en un seul Livre, tous les feuillets épars d'un même ouvrage universel . . .

Poète, homme d'absence et de présence, homme de refus et d'affluence, poète, né pour tous et de tous s'accroissant, sans s'aliéner jamais, il est fait d'unité et de pluralité. Par grands lambeaux d'humanité s'opère en lui ce déchirement d'un seul en proie à l'épopée de tous— levée de tous dans l'œuvre et de l'œuvre dans tous. Des marches de l'exil, il gère une solitude plus peuplée qu'aucune terre d'empire. Il établit ses châtiments comme des équations, mais il se garde d'avilir ses victimes de marque; et ce n'est pas sans collusion secrète qu'il ménage la fierté de ses grands réprouvés. Il n'a dédain réel que pour les faibles et les lâches, qu'il laisse errer au vestibule de son Enfer; ou les simples nonchalants, aux premières rampes de son Purgatoire. L'homme pour lui n'est homme que dans sa force d'âme et son intégrité. Et de ce vaste commentaire à la chronique humaine qu'est la grande somme épique de la Commedia, *l'enseignement demeure tout de fierté virile et de rectitude morale: un enseignement d'honneur pour tous. Pour contraignante qu'elle soit, la destinée de l'homme ne saurait relever de l'absurde, et c'est un mystérieux pouvoir que garde l'être humain sur la montée des astres de sa nuit . . . Sous ces paupières mi-closes de l'homme, que Dante appelle "les lèvres de l'œil," filtre assez de clarté pour orienter en nous le sens tragique de la vie.*

Homme lui-même de pleine vocation, ardent à vivre l'homme dans la pensée et dans l'action, Dante semble, pour son temps, légitimer d'instinct une volonté de puissance hors des limites de l'orthodoxie chrétienne . . . Poète, toujours, ce rebelle-né, qui revendique dans l'homme plus que l'homme . . . Et que la poésie elle-même est action, c'est ce que tend à confesser la solitude du proscrit. L'ancien Prieur de la Commune de Florence ouvre à Dante, poète, le champ clos de l'exil, qui le fait grand poète en même temps qu' "italien." Il affrontera fièrement les pires condamnations publiques, jusqu'à cette condamnation, par contumace, à être brûlé vif—singulière dérision pour celui qui, poète, n'entendait honorer que la flamme . . .

Dans les anciens rites du feu, l'offrande rituelle faite à la flamme fut sacrifice à l'ordre universel autant qu'à l'ordre individuel, l'acte sacrificiel ayant pour but de recréer l'unité primordiale et de renouer au tout de l'être l'homme mis en pièces par l'histoire . . . Ainsi d'un grand poète l'œuvre est d'offrande universelle, car il n'est point, sans le poète, d'aspiration plénière, ni de restitution, du souffle. Respirer avec le monde demeure sa fonction propre et médiatrice. Et telle est bien la primauté secrète du poète. Il est, au sens premier du mot, l' "ex-istant" par excellence, se situant au plus près du principe de l'être. Tout autonome qu'il se veuille, il ne peut faire, s'exprimant, qu'il ne témoigne d'unanimité. L'homme de Florence et de Ravenne, homme de Toscane et d'Italie, homme d'Europe et d'Occident, est aujourd'hui l'homme de tous!

Et Dante, face à son œuvre, et dans son œuvre même, devancier de sa gloire, ne s'est-il pas déjà de ses propres mains couronné du laurier?

Pour lui "la réponse des sommets," dans l'embrasement du ciel latin!

*Honneur à Dante Alighieri, maître d'œuvre et d'action!
Honneur à l'homme de grande cause et de grande tracta-
tion; et pleine gratitude à l'homme, dans son temps, qui
le plus loin porta l'action libératrice du langage—le
poète, par qui s'éclaire et s'agrandit l'espace des vivants.*

*Les siècles s'ouvrent, inlassables, au labour de l'his-
toire, les chaînes tintent aux pas de l'homme, et ce n'est
point de servitude ni de mort que traite le poète . . . Les
grandes passions politiques s'en vont se perdre au cours
du fleuve, de faux thèmes de grandeur s'effondrent sur
les rives, mais sur la pierre nue des cimes sont les gloires
poétiques frappées d'un absolu d'éclat. Dante: la cime
est haute et claire et défie l'érosion! . . . Combien de po-
tentats, combien d'hommes de pouvoir et de maîtres de
l'heure, podestats, autocrates et despotes, hommes de
tout masque et de tout rang, auront déserté les cendres
de l'histoire, quand ce poète du plus grand exil con-
tinuera d'exercer sa puissance chez les hommes—
puissance non usurpée . . .*

*Poète, suzerain de naissance, et qui n'a point à se
forger une légitimité . . .*

*Sur le vaste cadran solaire où l'histoire tient sa lame
de fer, l'heure du Dante n'a point fini de faire son ombre
—angle majeur ouvert à l'étendue des siècles. Dans l'ère
plénière du langage s'intègre la durée d'une parole
d'homme. Et l'homme de langage s'avance encore parmi
nous. Il couvre du regard le temps des morts et des vivants.
A l'empire du passé il joint l'empire du futur, où court
son ombre prophétique . . . Car il y a, dans la vision du*

54

poète, à son insu, quelque chose toujours de fatidique qui court au loin rejoindre une autre infinitude: celle de l'Être, son lieu vrai. Sept siècles jusqu'à nous, sept âges jusqu'à nous, courant l'aventure poétique, ont entendu gronder au loin les grandes eaux souterraines où s'alimente l'espoir de l'homme. Et la rumeur encore se fait entendre du grand tumulte en marche devant nous.

Nous t'invoquons, Poète, à l'ouverture d'un nouvel âge. Il n'est rien de futur qui ne s'ouvre au poète. Créer, toujours, fut promouvoir et commander au loin. Et le poète proféré se hâte dans l'histoire . . . Éternelle invasion de la parole poétique!

Pareils aux Conquérants nomades maîtres d'un infini d'espace, les grands poètes transhumants, honorés de leur ombre, échappent longuement aux clartés de l'ossuaire. S'arrachant au passé, ils voient, incessamment, s'accroître devant eux la course d'une piste qui d'eux-mêmes procède. Leurs œuvres, migratrices, voyagent avec nous, hautes tables de mémoire que déplace l'histoire.

Et celui-là fut d'Occident, où le songe est action, et l'action, novatrice. Dante debout dans le vent de l'histoire a porté sans faiblesse sa charge d'humanité; et tôt levé dans la grandeur, instigateur et médiateur, il fut de ces grands devanciers pour qui vivre est créer, et créer s'engager dans une éternité d'histoire.

Poète, face invisible de l'homme . . . Le torrent poétique où se lave l'histoire s'écoule, inentendu des foules riveraines. Mais sur la face sainte de la terre, quelques

soulèvements d'humeur nous laissent trace pour longtemps de leur puissant relief: entre deux grands versants
de l'âge occidental, la haute intersection s'éclaire encore
jusqu'à nous.

O Dante, dans nos voies et propos comme un principe
d'autorité! Aigle tranchant de la parole, présence ar-
dente du poète! . . . Nous l'avons vu passer sur l'écran
de nos nuits, la tête ceinte du laurier noir plus acéré
qu'une visière levée de condottiere. Il fut ce fervent d'un
absolutisme guerroyant seul à nos frontières—le Témé-
raire, et Taciturne, portant brûlure d'âme comme griffe
d'éclair sur un visage de stigmatisé. Il a flairé, à hauteur d'homme, l'abîme du réel et du surnaturel. Il a
connu, à hauteur d'homme, des temps qui ne sont pas le
temps de l'homme. Et ceux qui l'ont croisé un soir au
détour du chemin l'ont appelé le Transgresseur . . .

Sois avec nous, grande être en marche, poète! homme
des signes et des nombres, homme toujours du plus grand
ordre. Ton souffle nous assiste, et ta puissance en nous
portée à la hauteur du mythe. Aux soirs de grande mu-
tation, quand les figures usées du drame descendent
derrière nous les travées de l'histoire, que l'on entende
encore passer ta grande ombre nocturne. Et l'aile acerbe
du génie nous frôlera encore de sa plume de fer . . .

Sois avec nous, Passant! les temps sont forts, et l'heure
est grande! Les premières houles d'équinoxe se lèvent
déjà à l'horizon pour l'enfantement d'un nouveau millénaire . . . Un grand morceau d'histoire naissante se
détache pour nous des langes du futur. Et c'est un soulève-

ment, de toutes parts, de forces au travail, comme une agrégation des eaux universelles. Quelle nouvelle Commedia, en voie toujours de création, s'ouvre de tout son texte au déroulement en cours? Ce n'est pas trop, Poète, de ton rythme ternaire pour cette métrique nouvelle que déjà nous vivons . . .

Sois avec nous, grande âme véhémente! La haine et la violence sur la terre n'ont point encore posé les armes. Guelfes et Gibelins étendent leur querelle au monde entier des hommes. Forces de matière et nouveaux schismes menacent cette communauté humaine pour qui tu rêvas d'unité . . . Tiens large en nous la vision de l'homme en marche à sa plus haute humanité, tiens haute en nous l'insurrection de l'âme, et l'exigence plénière du poète au cœur immolesté de l'homme . . .

Nous t'honorons, grandeur! nous t'honorons, puissance!

Honneur à Dante d'Italie! premier d'Europe et d'Occident à fonder l'homme en poésie, et la parole, en l'homme, du poète comme une caution d'humanité. Nous t'acclamons, Poète, dans ta prérogative et ta nécessité. Avec nous, longuement, l'acclamation lointaine qui monte de tous les rangs de l'hémicycle universel —tribut levé sur notre siècle par les poètes de toute race, de toute langue et de toute discipline, qu'alerte le seul nom de Dante! . . . Vers toi, poète de grand nom, on entendra encore monter, en l'An Deux Mille, cette rumeur des hommes de langage pour qui déjà tu dissipais les dernières affres et ténèbres héritées de l'An Mille. Et dans *trois siècles à venir des hommes encore s'assembleront pour célébrer ton propre millénaire. Ils entendront, peuples futurs, ce que la voix d'un grand poète peut sauvegarder d'aînesse latine dans la mêlée des eaux nouvelles . . .*

Heureuse Florence et la terre de Toscane, heureuse cette part du monde latin où, sous le signe des Gémeaux, pour son double destin d'homme de songe et d'action, d'homme d'amour et de violence, d'homme d'enfer et de ciel, naquit, un jour de Mai, Dante degli Alighieri, homme de poésie.

. . . O Maïa, ô Dioné, divinités antiques honorées du poète jusqu'en son ciel chrétien, vous attestiez déjà l'éternité du verbe.

Et nous, ici, que faisons-nous d'autre, réunis, que de commémorer dans l'homme la survivance du poète?

. . . Poésie, heure des grands, route d'exil et d'alliance, levain des peuples forts et lever d'astres chez les humbles; poésie, grandeur vraie, puissance secrète chez les hommes, et, de tous les pouvoirs, le seul peut-être qui ne corrompe point le cœur de l'homme face aux hommes . . .

En l'honneur de Dante, poète, puissance d'âme et d'esprit dans l'histoire d'un grand peuple et dans l'histoire humaine, que tous se lèvent avec nous!

Bibliographical Note

WORKS OF ST.-JOHN PERSE

published, with English translations,
in the United States of America

ANABASIS: Harcourt, Brace and Co., New York, 1938. French text with translation and preface by T. S. Eliot. Translation revised and corrected by T. S. Eliot (from the 1930 London edition). Second edition, 1949: translation again revised and corrected by T. S. Eliot.

ÉLOGES AND OTHER POEMS: W. W. Norton and Co., New York, 1944. French text facing translation by Louise Varèse, with an introduction by Archibald Mac-Leish. Revised edition, Bollingen Series LV, Pantheon Books, New York, 1956: French text facing a revised translation by Louise Varèse, with an additional poem, *Berceuse*, and without introduction.

EXILE AND OTHER POEMS: Bollingen Series XV, Pantheon Books, New York, 1949. French text with translation by Denis Devlin and notes by Archibald MacLeish, Roger Caillois, and Alain Bosquet, and bibliography. Second edition, 1953: French text facing the aforementioned translation, without notes, in smaller format.

WINDS: Bollingen Series XXXIV, Pantheon Books, New York, 1953. French text with translation by Hugh Chisholm, notes by Paul Claudel, Gaëton Picon, Albert Béguin, and Gabriel Bounoure, and bibliography. Second edition, 1961: French text facing aforementioned translation, without notes, in smaller format.

SEAMARKS: Bollingen Series LXVII, Pantheon Books, New York, 1958. French text with translation by Wallace Fowlie, and bibliography. Second edition, 1958: French text facing the aforementioned translation, in smaller format. (Reprinted 1961.) Torchbook edition, Harper and Brothers, New York, 1961.

CHRONIQUE: Bollingen Series LXIX, Pantheon Books, New York, 1961. French text with translation by Robert Fitzgerald, and bibliography.

ON POETRY: Bollingen Series, Pantheon Books, New York, 1961. French text with translation by W. H. Auden. Issued in pamphlet form.

BIRDS: Bollingen Series LXXXII, Pantheon Books, New York, 1966. With reproductions of four original color etchings by Georges Braque. French text with translation by Robert Fitzgerald, and bibliography.